桂图登字：20-2021-002

图书在版编目（CIP）数据

如果我也去上班 /（日）野田映美著；周龙梅译. — 南宁：接力出版社，2023.4
（大科学之友经典科普书）
ISBN 978-7-5448-8109-8

Ⅰ.①如… Ⅱ.①野…②周… Ⅲ.①儿童故事-图画故事-日本-现代 Ⅳ.①I313.85

中国国家版本馆 CIP 数据核字（2023）第 042903 号

责任编辑：陈潇潇　　美术编辑：卢　强
责任校对：王　蒙　　责任监印：刘宝琪　　版权联络：闫安琪
社长：黄　俭　　总编辑：白　冰
出版发行：接力出版社　社址：广西南宁市园湖南路9号　邮编：530022
电话：010-65546561（发行部）　传真：010-65545210（发行部）
http://www.jielibj.com　E-mail:jieli@jielibook.com
经销：新华书店　印制：北京博海升彩色印刷有限公司
开本：787毫米×1092毫米　1/16　印张：2.25　字数：30千字
版次：2023年4月第1版　印次：2023年4月第1次印刷
印数：00 001—10 000册　定价：35.00元

书中地图系原文插附地图
审图号：GS（2023）667号

大科学之友
经典科普书

如果我也去上班

RUGUO WO YE QU SHANGBAN

[日] 野田映美 著 周龙梅 译

接力出版社
Publishing House

说“去公司上班”的人们，到底在哪里上班？他们都在做着什么样的工作呢？

大家都穿着灰色或深蓝色的西装，在大楼的房间里，坐在办公桌前打电话，发邮件吗？

销售公司与生产公司

公司的种类实际上比我们想象的要多，而且就在我们生活的周边。

比如我们去买食品和点心的超市属于公司。

还有种植超市里卖的蔬菜和蘑菇的公司，以及养鱼的公司等生产人类生存所需食物的公司。

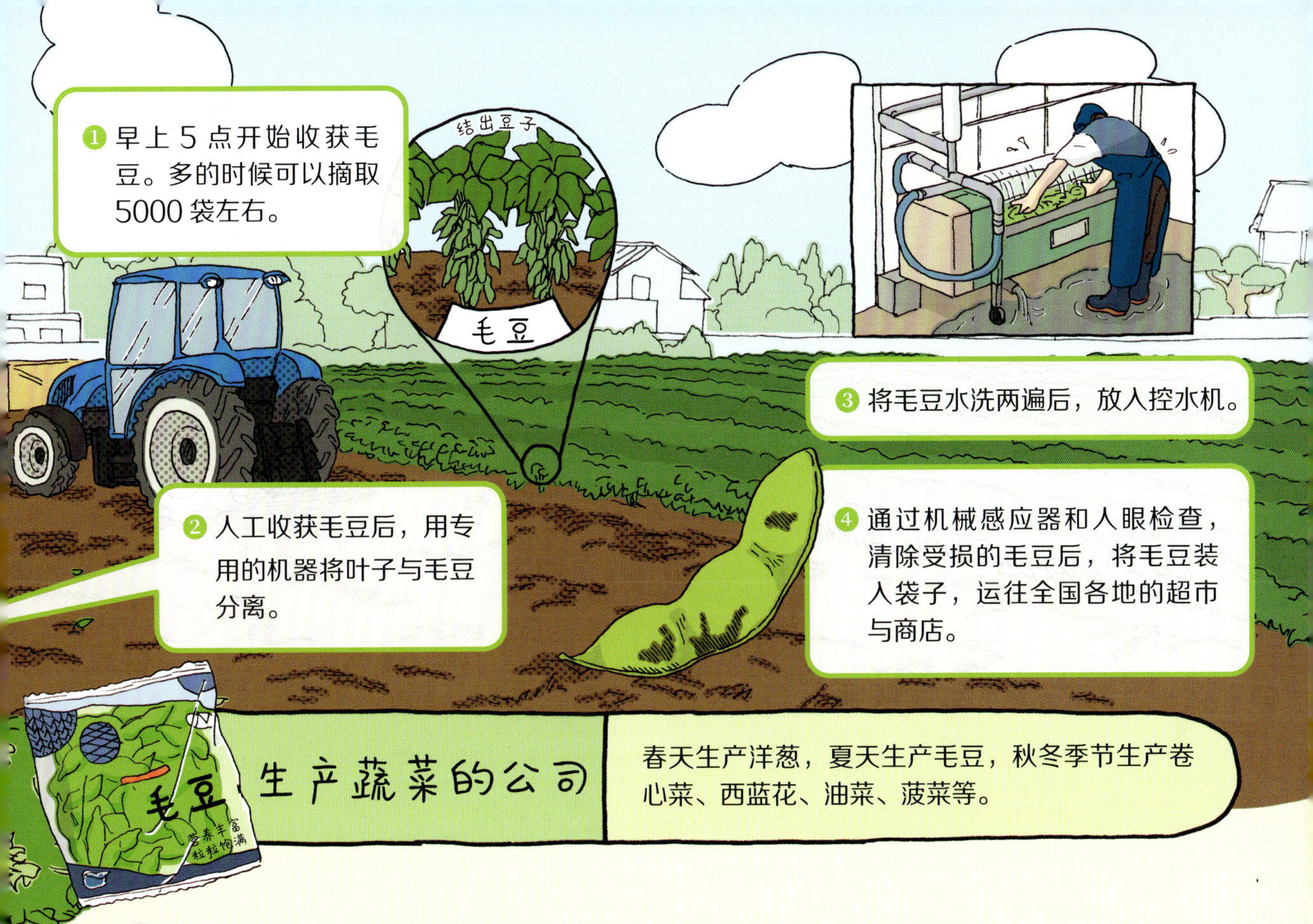

❶ 早上 5 点开始收获毛豆。多的时候可以摘取 5000 袋左右。

❷ 人工收获毛豆后，用专用的机器将叶子与毛豆分离。

❸ 将毛豆水洗两遍后，放入控水机。

❹ 通过机械感应器和人眼检查，清除受损的毛豆后，将毛豆装入袋子，运往全国各地的超市与商店。

生产蔬菜的公司

春天生产洋葱，夏天生产毛豆，秋冬季节生产卷心菜、西蓝花、油菜、菠菜等。

生产蘑菇的公司

在工厂里生产真姬菇和杏鲍菇等，销售给全国各地的超市与百货商店。

❶ 蘑菇在控制了温度与湿度的培育室里培育。培育室里面昏暗阴凉。经过负责人的确认后，在蘑菇大小适中的时候，搬出培育室。

❷ 从培育室搬出的蘑菇，通过传送带运输，再通过机器称出规定的重量后，就可以装袋了。

想购买洗涤剂、清扫工具、文具和木工材料时，你会去哪里呢？可以实际看到商品，确认是否符合自己心意后再购买的家居用品购物中心也是公司。

家居用品
购物中心
生产这种铅笔的公司……
创立
1913年
除了生产常销商品外，还生产其他各类文具。
生产这种铅笔的公司……
创业
1887年
各种文具在国外也销售。

负责铅笔开发的尚昌先生

通过实际调查，收集用户的意见，一种比普通铅笔短，笔杆末端的棱角改良成圆形，儿童也可以安全使用的产品诞生了。在构思创意和想法的时候，可以离开自己的座位，到一个安静场所，先在本子上面做些笔记。

一般的铅笔长度过长，快碰到眼睛了。

负责书写工具开发的千惠小姐

去见一些可能会购买这类产品的顾客，观察他们在使用的书写工具，调查了解正在流行什么，获得能够争取更多用户的启发。

大家虽然在不同的公司，但希望文具业繁荣的心情都是一样的。有些文具公司会互相配合，一起做宣传活动。

商店出售各种各样的东西，即使是用处相同的商品，也会有多个品种。要说有什么不同，那就是生产它们的公司不同。

物中心
ENGLISH NOTE
Campus
制作这种本子的公司……
创业 1974年
主要生产小学生用的本子。
制作这种本子的公司……
创业 1905年
除了文具，还生产家具。

负责本子开发的雪代小姐

内页如何能吸引儿童的注意力，这是她着力钻研的地方。还可以直接去小学，跟老师们打听本子的使用情况，从而获得灵感。

负责本子开发的民子小姐

观察实际用完的本子，以备进行下一次的改良。如果纸张进行了大变更，那么设计也会焕然一新。新产品的创意往往是一个人独处的时候，或者是在日常生活中不经意间萌发的。

Campus

创业：开始运营公司　　创立：最初成立公司

生产材料和原料的公司

那么，一个公司在生产产品的时候，它从哪里获得所需的材料和原料呢？有的公司从原料开始生产产品，有的公司只生产材料。也有一些公司从生产原料的公司买来原料，做成易于加工的半成品后，再卖给其他公司。

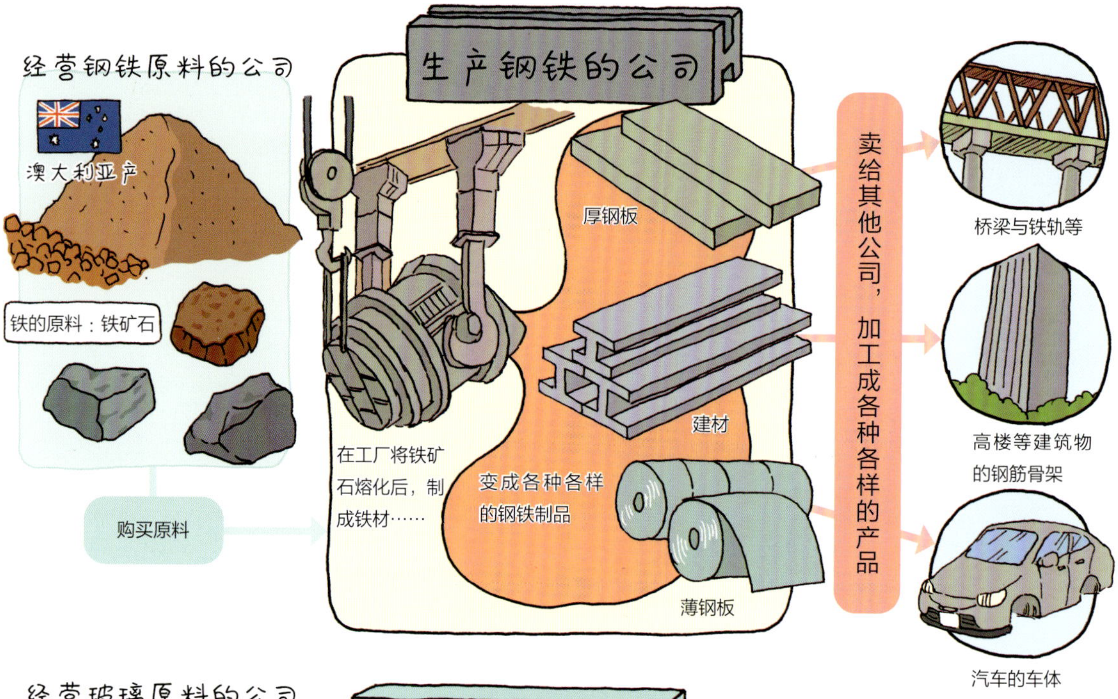
经营钢铁原料的公司
澳大利亚产
铁的原料：铁矿石
购买原料
生产钢铁的公司
在工厂将铁矿石熔化后，制成铁材……
变成各种各样的钢铁制品
厚钢板
建材
薄钢板
卖给其他公司，加工成各种各样的产品
桥梁与铁轨等
高楼等建筑物的钢筋骨架
汽车的车体

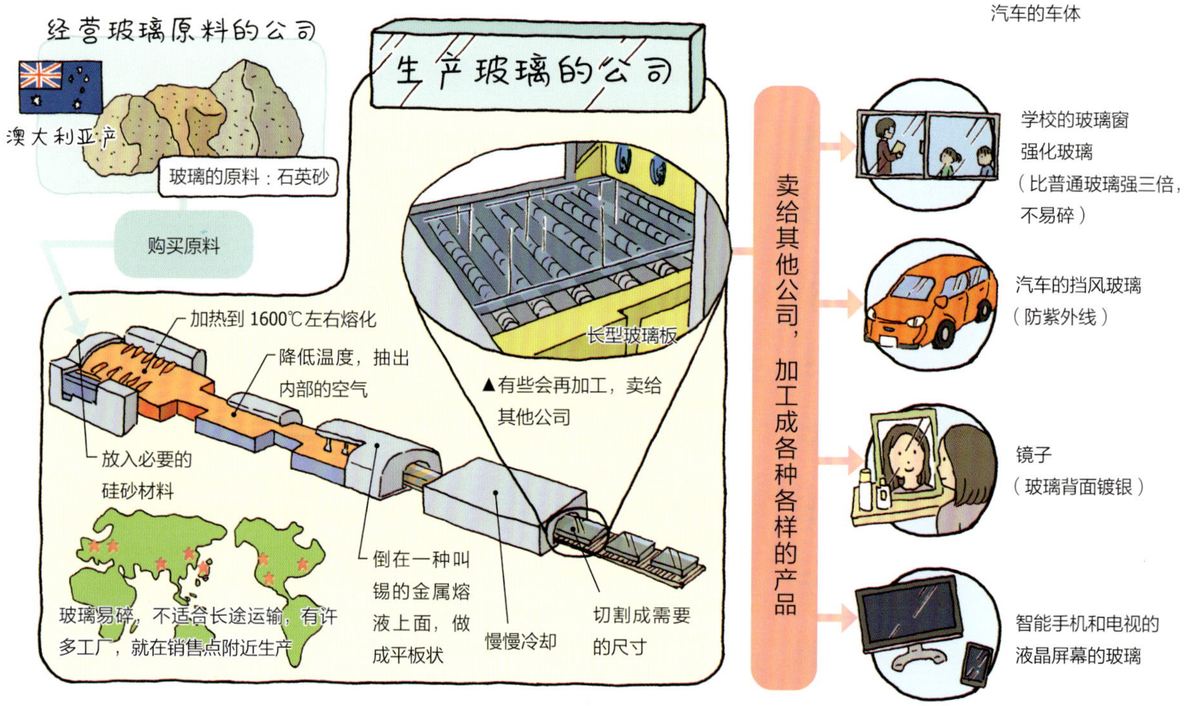
经营玻璃原料的公司
澳大利亚产
玻璃的原料：石英砂
购买原料
生产玻璃的公司
加热到1600℃左右熔化
降低温度，抽出内部的空气
放入必要的硅砂材料
倒在一种叫锡的金属熔液上面，做成平板状
慢慢冷却
切割成需要的尺寸
长型玻璃板
▲有些会再加工，卖给其他公司
玻璃易碎，不适合长途运输，有许多工厂，就在销售点附近生产
卖给其他公司，加工成各种各样的产品
学校的玻璃窗
强化玻璃
（比普通玻璃强三倍，不易碎）
汽车的挡风玻璃
（防紫外线）
镜子
（玻璃背面镀银）
智能手机和电视的液晶屏幕的玻璃

公司之间进行原料或材料的交易并不为奇。虽然我们个人通常不会直接向公司购买原料或材料，但用这些东西制作的商品，在我们身边比比皆是。

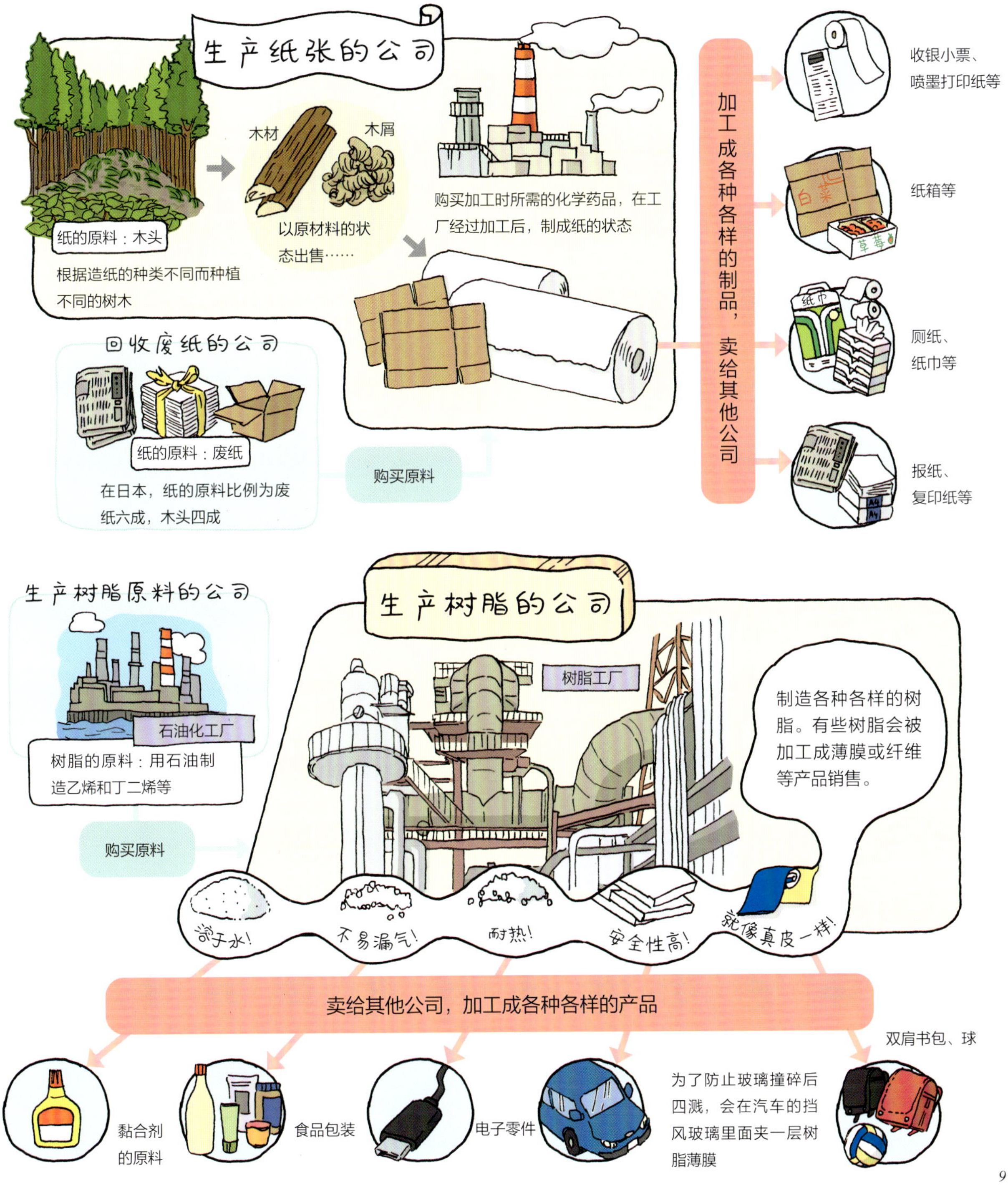
生产纸张的公司
木材
木屑
纸的原料：木头
根据造纸的种类不同而种植不同的树木
以原材料的状态出售……
购买加工时所需的化学药品，在工厂经过加工后，制成纸的状态
回收废纸的公司
纸的原料：废纸
在日本，纸的原料比例为废纸六成，木头四成
购买原料
加工成各种各样的制品，卖给其他公司
收银小票、喷墨打印纸等
纸箱等
厕纸、纸巾等
报纸、复印纸等
生产树脂原料的公司
石油化工厂
树脂的原料：用石油制造乙烯和丁二烯等
购买原料
生产树脂的公司
树脂工厂
制造各种各样的树脂。有些树脂会被加工成薄膜或纤维等产品销售。
溶于水!
不易漏气!
耐热!
安全性高!
就像真皮一样!
卖给其他公司，加工成各种各样的产品
黏合剂的原料
食品包装
电子零件
为了防止玻璃撞碎后四溅，会在汽车的挡风玻璃里面夹一层树脂薄膜
双肩书包、球

也有不生产或销售产品，而是通过介绍和管理服务获得利润的公司。

房地产公司
出售或出租，并管理土地和房屋
大惊奇房地产
大惊奇房地产
大惊奇房地产
听取顾客的需求，选择满足条件的进行推荐。
我想住在草莓形的房子里……
这位是房东。
请您多关照。
找到了房客，太好了！
请随便参观！

按照房子的样板，实际建好后，请准备购买房子的人们参观。
住宅建造公司
建造房屋和公寓等出售
我带你们先看二楼吧。
好漂亮的房子！
的家
公开样板房

以房屋为例。既有只建造房屋的公司，也有出售、购买和管理房屋的公司。有的人除了自己居住的房屋之外，还拥有其他闲置的房屋，有的公司就是给想出租房屋的人和想租用房屋的人牵线的。

将世界各地的产品出售给需要它们的地方的公司

天然气是大家平时使用的燃气的主要原料。
贸易公司职员 胜男先生（34岁）
开发天然气，出售给燃气公司。
开采地下天然气的设备。
天然气
为了防止事故的发生，派遣具有专业知识的人员。
萨哈林岛（库页岛）
从确定设备建设的计划到生产开始后的维护与管理，需要严格检测确认。
天然气专用的油轮也安排好了！
将天然气运往工厂，加工成使用方便、运输方便的液体。
日本
为了提高产量，向工厂投资。
防止油凝固的保温运输油轮。
安排！
为能够持续提高产量，投资设备和工厂。
向经营农场的公司派遣人员，共同考虑更好的销售方法等问题。
工厂
马来西亚
贸易公司职员 广吉先生（35岁）
将在国外生产的棕榈油销售给食品厂家等地方。
棕榈油是世界上生产量最大的植物油，我们身边许多食品都使用棕榈油。
棕榈油的原料——油棕果
薯片
方便面
巧克力

为了开采和销售天然气，需要制造开采设备的公司、运输天然气的船运公司和制造这些船只的公司等多方相互配合。协调这些的胜男先生在萨哈林岛（库页岛）工作。

由于棕榈油的价格每天都在根据天气变动，所以，广吉先生要时常查看新闻，以此给食品厂家打电话，估量买卖的时机。向农场和工厂派遣有专业知识的人员，考虑是否贷款给工厂和农场，也是广吉先生的工作。

有些公司生产和销售他们自己从头开始设计的产品，有些公司购买现有的产品并将它们卖到需要的地方，还有一些公司这两方面都同时参与。这些产品可能是无形的，比如信息或者服务。

胜男先生和广吉先生在同一家公司工作。像这样经营各种产品的公司叫综合贸易公司。

工作中
到大惊奇报社还有一段时间呢，在哪里消磨一下时间吧。
经营提供咖啡和餐饮服务的饮食店的公司
你这么一说，我想起来了，有一家不错的咖啡馆好像就是开在这一带。
便利店
哎哟，真想去看看啊！
我们快去吧。
利用网络搜索提供信息服务的公司
15:05
美食家
咖啡馆
区到风志木
风志木站 步行
我来查一下……
跟报社是同一个站吧？
利用电车、巴士等交通工具运送旅客的公司
风志木站
嗯……
哎呀，快到了！
好像就在那个洗浴中心的前面。

提供洗浴设施的公司
spa
恢复精神
按摩
哎哟，这里的洗浴中心还有按摩服务呢。
哈哈哈！
虽说是上班时间，可真想洗个澡，按摩按摩啊。
提供按摩服务的公司
先喝杯咖啡，休息一下吧。
好的。

想做的事情能实现的背后，要有一个公司的存在。

这样环视一下四周，会发现到处都是公司。

那公司是什么呢？

* “spa” 意为 “水疗”。
玻璃门上的 “cafe” 意为 “咖啡馆”。

公司依照国家法律设立，从事制造汽车、销售图书等以营利为目的的生产或服务性业务。一家公司要想开始运营，如果只将人们汇集起来，还远远不够，需要一个能指挥和管理的人，这个代表性的人物就是总经理。在总经理手下工作的是员工。

经常与同在金融业或在不同行业的人见面。收集国内外的最新情况和新生事物等信息，是极为重要的。
证券公司总经理
裕子小姐
（41岁）

经济不景气，股票交易就会减少，证券公司的收入也会减少，以自己的能力无法掌控的时候，公司内部的气氛也会不和谐……但越是这种时候越要拿出底气来！

涨！

监视器上显示出瞬息万变的股票价格。

◁没有“总经理办
室”，总经理与
工在同一楼层，
在一起工作。

维持公司的业务需要资金。除了自己筹备，股份公司还可以通过发行股票来筹集资金。证券公司成为买卖股份的窗口。员工人数 324 名。

△仓库里一排排的花盆

△办公室的书架上全是园艺有关的书籍

早上完成了确认邮件等工作之后，再完成其他工作，还要听取员工的意见。发现哪里有问题，就自己处理好……什么工作都要做。

比如跟贷款给自己的银行打好交道等，要考虑的事情堆积如山。公司就像是自己身体的一部分。
油粕
培养土
园艺用品批发公司总经理
光次先生
（65岁）

从制造肥料、花盆等园艺有关的商品厂家进货，再卖给家居用品购物中心等大家可以廉价购买园艺用品的零售店。员工人数 17 名。

总经理是对商品和员工的所有动向都要负责任的人。

男女老少，各种各样的人，他们的工作也根据公司的不同和总经理想法的不同而有所差异。

公司的规模和员工人数也千差万别。有的公司不仅在本国有员工，在全球都有员工。既有拥有几万名员工的大公司，也有在一间公寓里只有五六个人工作的公司，还有只有总经理一个人的公司。

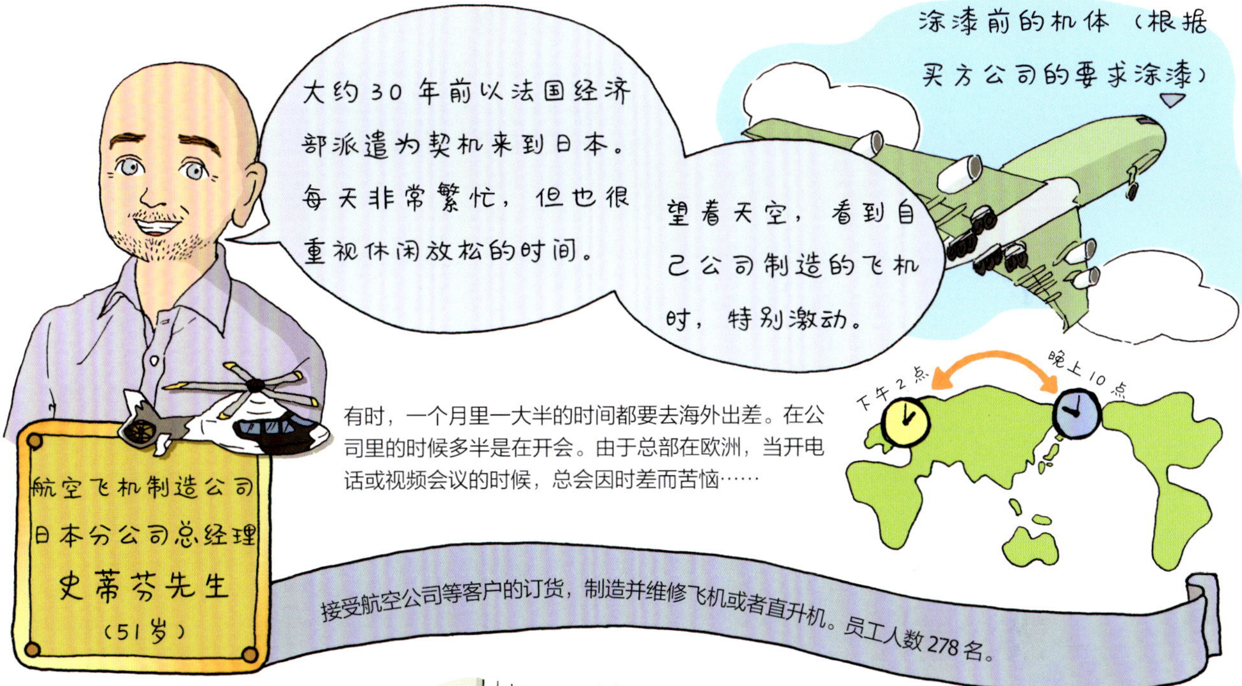

涂漆前的机体（根据买方公司的要求涂漆）
大约30年前以法国经济部派遣为契机来到日本。每天非常繁忙，但也很重视休闲放松的时间。
望着天空，看到自己公司制造的飞机时，特别激动。
下午2点
晚上10点
有时，一个月里一大半的时间都要去海外出差。在公司里的时候多半是在开会。由于总部在欧洲，当开电话或视频会议的时候，总会因时差而苦恼……
航空飞机制造公司
日本分公司总经理
史蒂芬先生
（51岁）
接受航空公司等客户的订货，制造并维修飞机或者直升机。员工人数278名。

员工就像我的家人一样，我希望他们觉得在这家公司工作很幸福。
时刻不离手的手账和笔记本
Campus
所谓经营，就是开展可以为公司获取利益的工作，为社会做出贡献。我从事着国内外集团公司的经营管理工作。
早上6点30分左右到公司。出席众多会议，确认和落实项目计划，探听其他公司如何发展，并亲自前往批发公司和零售店，与客户见面。
开始是在这家公司里打工，25岁时成为正式员工。以前曾经开过4吨载货车送货。
食品制造和销售
公司总经理
信子女士
（66岁）
食品制造销售公司，员工人数60名。拥有多家集团公司，员工总数1000名以上。

工作时间和休息时间因公司不同而有所不同，公司支付给每份工作的工资也不同。公司需要有人工作，想工作的人需要寻找符合自己条件的公司。

当两者结合在一起的时候，相互确认了工作时间和工资等条件之后，想工作的人就可以成为公司的一员了。

想在公司工作的人为成为公司一员要做的事情

公司情况介绍会
大惊奇
房地产
敝公司成立于75年前……

为了更好地了解公司，可以参加“公司情况介绍会”。参加者均为想在这家公司工作或对这项工作内容感兴趣的人。

我想在贵公司开发一些独特的产品。
面试

如果对这份工作感兴趣，公司会直接与你交流或向你介绍情况。你可能还需要提交一份简历，说明你的个人情况和你过去做过什么工作。

在加入公司后，员工将在指定的场所工作。工作的地点有可能会在公司内部进行调整，也有可能会被调到另一家公司或者不同地区的同一家公司的分公司工作。

不过，如果不想继续在这家公司工作，也可以辞职。这是在公司工作的人都有的权利，是受到国家法律法规保护的。

敝公司：对自己公司的谦称。贵公司：对对方公司的敬称。

很多公司为了方便工作，会将内部划分成不同的“部门”或“科室”，承担起不同的职责。大致可以分为这两种部门：业务部门和职能部门。

业务部门

宣传产品的优点，请对方购买。

生产产品。

从头开始设计产品。

职能部门

管理经营公司所需资金。

担任公司内部的管理工作，为大家创造舒适的工作环境。

对公司来说，最重要的就是招募人才和决定把谁派到哪个部门工作等问题。

上述分法仅为一例。具体有什么样的部门或科室，因公司而异。

同在一家公司工作的两个人的一天

即使在同一家公司，如果部门或科室不同，也会有不同的工作内容。

和树先生
（39岁）
营销部

主要工作是将自己公司的点心卖给便利店公司。同一集团的人分别有各自主管的便利店公司。

7:20 去公司

8:00 到公司

利用自己办公桌上的电脑确认电子邮件。与客户（便利店公司）的交涉基本上都是用电子邮件。还要确认销售数量。

能多卖一些就太开心了！

9:00 所属部门的工作会议

汇报自己目前的工作情况。与同一部门的人共同协商。负责点心生产的人也参加会议，一起讨论便利店存货数量等问题。

10:00 制作交给客户的资料

=产品介绍=

11:00 碰头会

12:00 吃午饭

时间	6	7	8	9	10	11	12

翔太先生
（31岁）
开发部

主要工作是研究新点心和现有点心的新口味，实现产品的商品化。会同时制作几种新产品。

7:00 去公司

8:00 到公司

9:00 收集信息等工作

市场上什么样的点心畅销，海外反响如何等，收集关系到新产品创意的信息。将想制作的产品特征等画成画，做成各个部门容易明白的形式。

新阿波罗
草莓

创意绘画

将构思的想法画成图画，太开心了！

10:00 碰头会

与负责包装的人协商。用袋子装好还是用盒子装好？能保证质量吗？一边研究一边讨论。

这个颜色……

11:00 碰头会 沟通设计

与负责设计的人量包装的事宜。研究出一眼可以达出产品品质的设计。

12:00 吃完午饭去研究所

每天的工作日程不同，工作内容也不同。有时可以早早回家，特别忙的日子，会比规定的时间要多工作一段时间（加班）。但是日本法律规定，一天的工作时间不得超过8小时，一周不得超过40小时，没有特殊安排的话，不得超过这个工作时间。

制作点心的公司 忙碌时的 工作日程

13:00
其他部门开会

15:00
坐车到客户所在地

到便利店公司去洽谈产品的销售事宜。冬天产品的销售大致都在夏天结束时决定，但是冬天销售的巧克力此时特别容易融化，所以，品尝用的巧克力样品要配上冰袋。

16:00
洽谈

要说明新产品想让什么样的人购买，已在出售的商品的新口味究竟是什么样的东西。拿出资料和样品，请对方试吃，谈妥后，可以摆在那家公司的便利店里。这是非常关键的地方，所以气氛非常严肃。

18:00
去另一个地方

19:00
与客户吃饭

不回公司，与客户吃饭。一边吃饭，一边聊各种事情。有时谈话中含有对工作有益的信息。想办法让气氛融洽是非常重要的。

21:00
回家

13 14 15 16 17 18 19 20 21

13:00
碰头会
（研究所）

为了将新产品的想法落实，委托研究所试做。要考虑在工厂时如何制作这个产品，新的生产方法，引进新机器等问题。

14:00
去公司

15:00
调查其他公司的点心

16:00
计算新产品的价格

17:00
去另一个地方

连带着吃下午茶，大家一起品尝其他公司的新产品和受关注的点心等。这也关系到能否为新产品开发带来灵感。每天都要吃点心。

18:00
顾客调查

为使产品畅销，听取可能会购买这些产品的人的意见也很重要。请这些人对产品自由发表意见，在另一间房间观察他们的反应。
在获得这些信息的基础上，将产品做成能在众多人心里留下深刻印象的产品。

21:00
回家

同一工作场所里不同的工作方式

有各种各样的工作场所，在同一工作场所的人们，不一定全是同一公司的人。不同公司的人，工作方式不同，工作时间和工资也有所不同。

派遣员工
由别的公司雇用，前往这家公司上班的人。
合同员工
限定了从哪天工作到哪天的期限，直接被公司雇用的人。

临时员工
按照工作时间长短领取报酬，可以自己选择在星期几工作以及工作时长。也有打工的学生。
业务委托员工
受公司委托，做规定工作的人。
正式员工
不受期限限定，直接被公司雇用的人。

集结几家公司的工作场所

工作场所不仅在公司里面，有时也会在户外。

比如在建设大楼的工地现场，在同一个空间，为同一个目的，几家公司各自承担各自的职责，在一起工作。

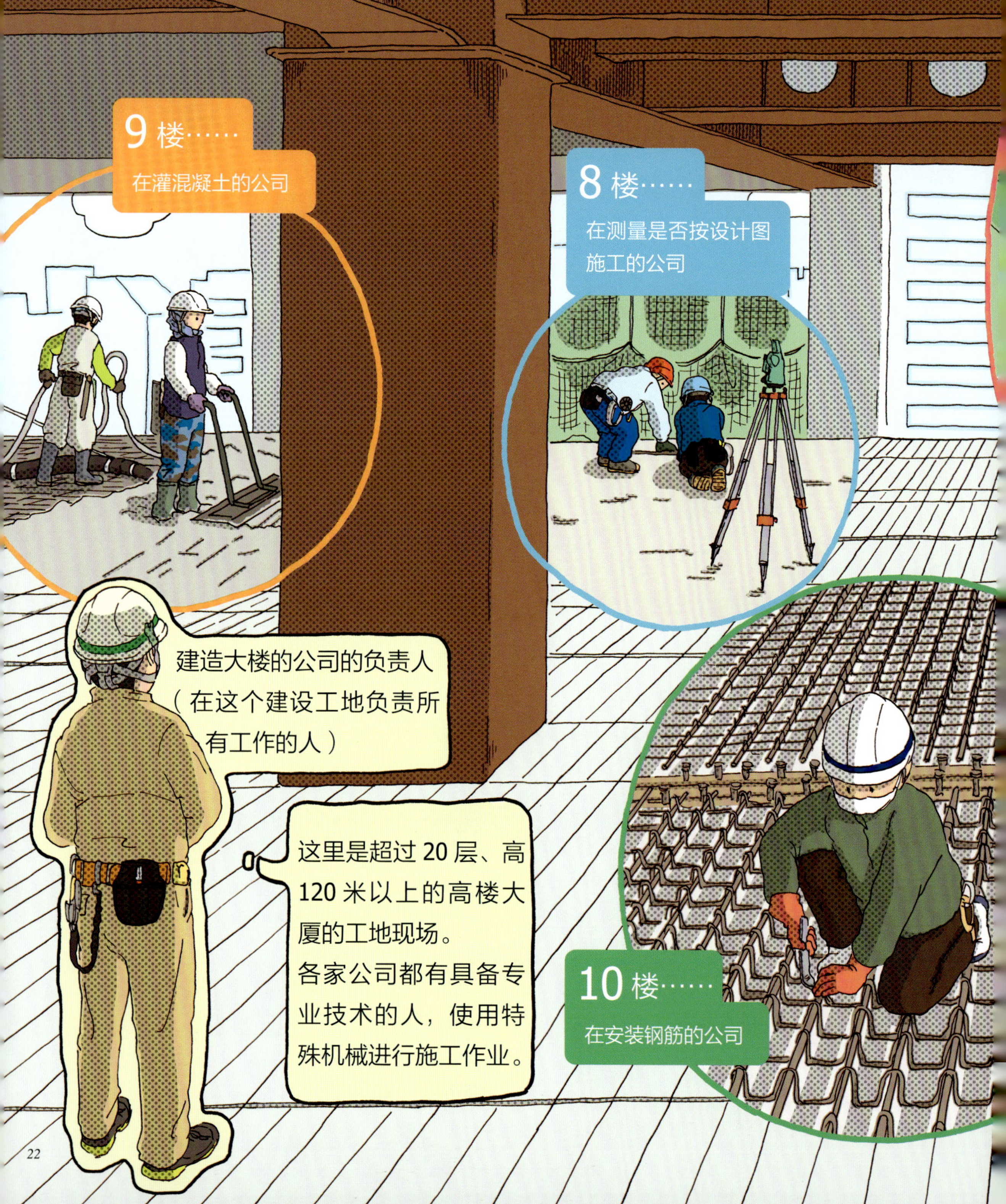

9 楼……
在灌混凝土的公司
8 楼……
在测量是否按设计图施工的公司
建造大楼的公司的负责人（在这个建设工地负责所有工作的人）
这里是超过 20 层、高 120 米以上的高楼大厦的工地现场。
各家公司都有具备专业技术的人，使用特殊机械进行施工作业。
10 楼……
在安装钢筋的公司

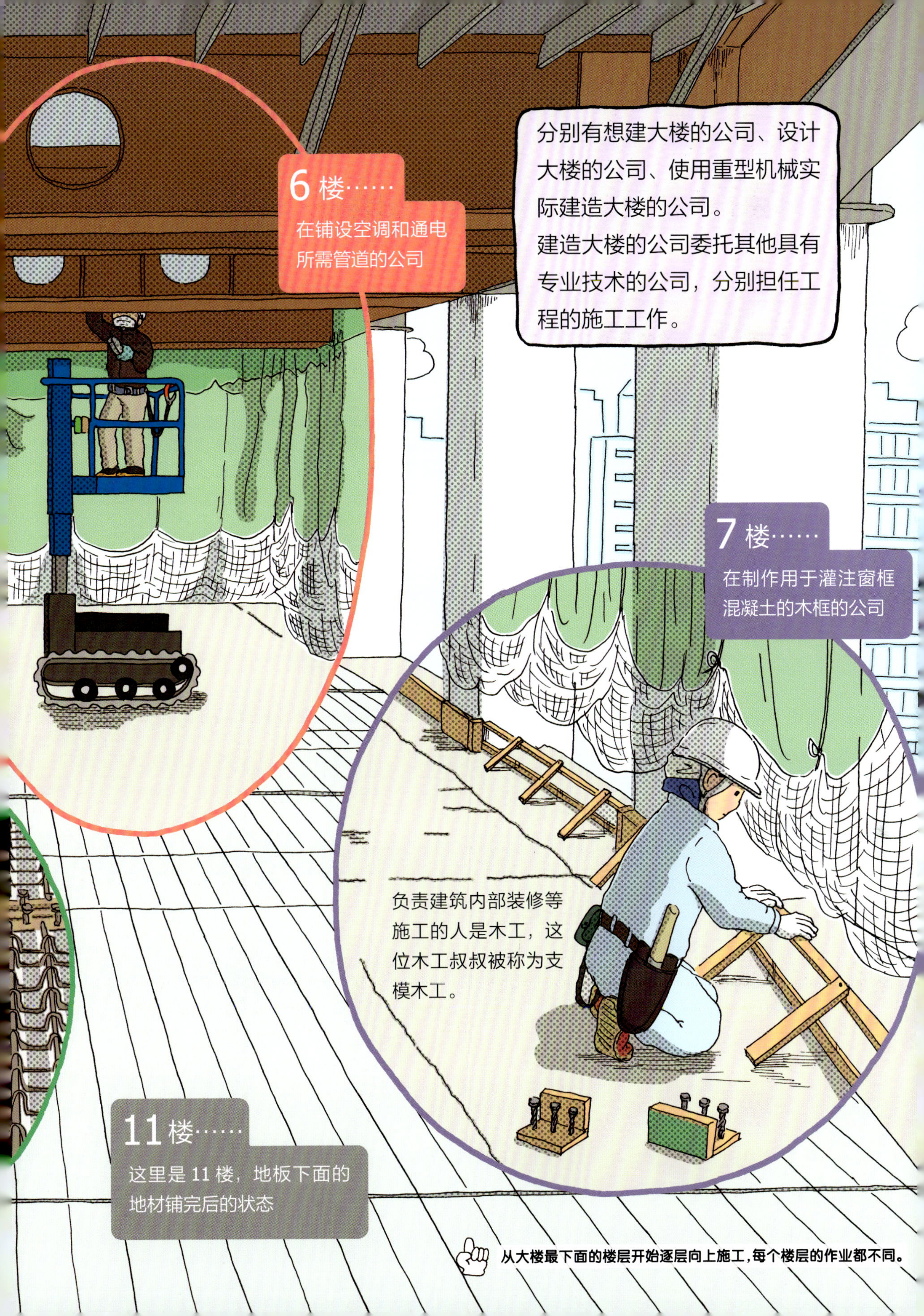

分别有想建大楼的公司、设计大楼的公司、使用重型机械实际建造大楼的公司。
建造大楼的公司委托其他具有专业技术的公司，分别担任工程的施工工作。
6楼……
在铺设空调和通电所需管道的公司
7楼……
在制作用于灌注窗框混凝土的木框的公司
负责建筑内部装修等施工的人是木工，这位木工叔叔被称为支模木工。
11楼……
这里是11楼，地板下面的地材铺完后的状态
从大楼最下面的楼层开始逐层向上施工，每个楼层的作业都不同。

问题 ①做什么工作？ ②为什么穿那样的衣服？ ③午餐吃什么？

美央小姐（36岁）
①负责制作国内外船运货物进港时所需要的资料（主要是与财务有关的资料）。
②公司制服。男员工是西装，去船上工作时要穿工作服。
红色手提包是午休外出时用的。
③在便利店买的盒饭。
完全不含化纤的棉质工作服。
一树先生（52岁）
①坐在驾驶室里开蒸汽火车。
②将煤投入制造蒸汽的炉子里，炉子内的温度可达到1500℃，所以衣服是用不会被迸溅的火星烧着的防火阻燃面料制成的。
③妻子做的盒饭。
奈美子小姐（38岁）
高跟鞋放在公司里。
①负责活动的策划、准备和活动当天的管理等工作。准备时间很长，所以主要做一些伏案工作。
②为随时能够应对突发情况，要注意衣着整齐。有时要奔赴活动现场，所以多半是穿平底鞋。
③自制盒饭。为了健康，以蔬菜为主。
思雷舍先生（年龄保密）
①开发用于制作电脑和手机等电子产品所需要的半导体零件的设备。
②实际制造设备的人会穿一种特殊材料制成的衣服，我主要在电脑前面工作，所以穿着很随便。
自助餐厅的菜谱每天都会更换。
③在公司的自助餐厅吃泰国风味的豆腐蔬菜咖喱饭。

工作不同，适合工作时穿的服装就会不同。有提供制服的公司，也有不仅是服装，连发型也很自由的公司。

则行先生（56岁）
①在餐厅做意大利菜。做美食，给大家带来健康和快乐，让大家笑容满面！
②厨师服可以防止菜刀、火苗、热调味汁伤到自己。
白大褂上面一旦沾上头发，马上就会被发现。
③学习做菜的学员练习时做的菜，也叫内部菜。

玲雄先生（28岁）
①在受理电话接口和互联网开设的呼叫中心，做接线员的指导和管理工作。
②一穿上西服就会精神振奋，可以进入工作状态。
③在员工食堂吃辣味茄汁炸鸡块套餐。

佳子小姐（45岁）
①按照服装设计师画的服装设计图，绘制实际制作服装时用的纸样。
②服装自由，但重视工作方便。
脖子上挂着的是测量尺寸的卷尺。
③自己做的盒饭。

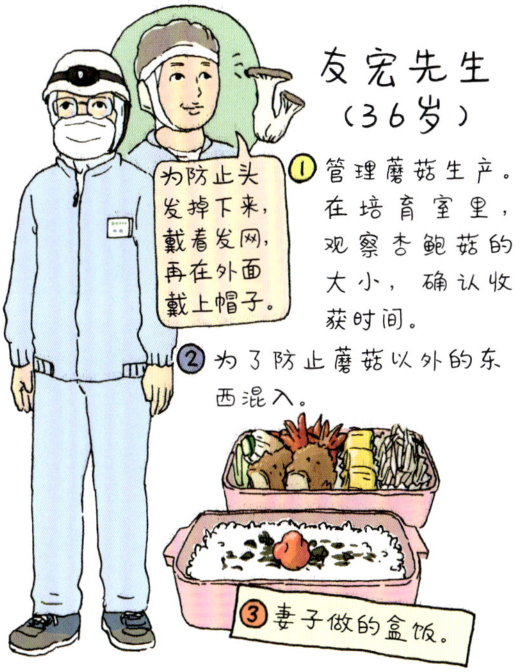
友宏先生（36岁）
①管理蘑菇生产。在培育室里，观察杏鲍菇的大小，确认收获时间。
为防止头发掉下来，戴着发网，再在外面戴上帽子。
②为了防止蘑菇以外的东西混入。
③妻子做的盒饭。

工作间隙在吃什么呢？从事运动量大的工作和长时间坐着的工作，人们喜欢吃的东西可能也会有所不同。

工作的人不全是公司职员。也有不成立公司，而是自己一个人担任总经理、销售、会计和生产等所有工作的个体经营者。

此外，还有不以营利为目的工作者，比如公务员。

这个海洋馆在一座大楼的楼顶上，展示空间虽然有限，但却再现了自然环境。为了防止水溅到游客身上，使用胶皮管和刷子打扫卫生。
虽然都是
民营海洋馆
这个海洋馆由公司经营，目的是让顾客接触海洋动物，增长知识见闻。在这里工作的员工包括正式员工、合同员工和临时员工。
其实我喜欢虫子和爬行动物！
我就是喜欢企鹅！
创作这本书的人
自由职业者
不属于公司员工，工作场所与工作时间也可以由自己决定。每月工资不固定。
临时员工
爱华先生（21岁）
在专科学校学习动物饲养时，听了关于企鹅的故事，就想成为饲养员。
正式员工
有马先生（28岁）
在澳大利亚的大学攻读动物生态学，毕业后在动物贸易公司从事动物饲养工作。
我负责企鹅、水獭和食蚁兽等动物的饲养工作。

在政府机关工作的公务员，从事着对国家和地区居民生活有益的工作，由居民们缴纳的税金发放工资。还有以教育、文化等对多数人有益为目的成立的组织形式，叫作非营利法人。

海洋馆……

公立海洋馆

这个海洋馆在东京都，管理和经营均由东京动物园协会负责。在这里工作的人都是从协会派遣的公务员和临时工等。

展示空间很大，所以打扫要使用高压冲洗机，一口气冲掉污渍。
我喜欢马和黄鼠狼等动物。
动物园
公益组织员工
大树先生（32岁）
我从很早以前就喜欢鱼！
公务员
明吉先生（55岁）
我负责企鹅和其他海鸟的饲养工作。
我负责安排移动水族馆和团体参观活动等，正在做海洋馆的推广工作。
在市内医院等地巡回展览的移动海洋馆

从学习动物饲养的专科学校毕业后，到东京动物园协会工作。来海洋馆之前，在动物园负责饲养熊和水獭。

在大学研究鱼类，参加过公务员考试。还在水产试验场、动物园、海洋馆做过饲养员。

可以工作的地方有很多，我们可以自由选择在哪里工作。

从美术教材编辑成为美术馆的策展人

策展人
直子小姐（35岁）

管理、研究美术馆里的作品，举办展览介绍这些作品。

在展厅的作品前进行解说时的情景

钟爱美术，以前在出版美术教材的公司工作，后来想在更接近真正的美术作品的地方工作，于是成为策展人。研究作者通过作品想表达什么，并想办法将这些传达给观众。虽然大多是一些重复性的简单工作，但迎来展览开幕，与观众共享感动的时光很愉快。

在芭蕾舞教室上课时的情景

从小喜欢跳舞，在母亲的鼓励下，去芭蕾舞教室学习。最初有些抵触，但是参观了上课时的情景，彻底迷上了芭蕾舞。欧洲留学毕业后，在当地作为舞蹈家开展活动。回国后，强烈希望培养年轻有为的人才，开始从事指导与编舞工作。

舞蹈家
拓郎先生（34岁）

除了自己在舞台上表演舞蹈之外，还为各种汇报演出编舞或教授芭蕾舞。

从事舞蹈工作的契机是因为去了欧洲留学

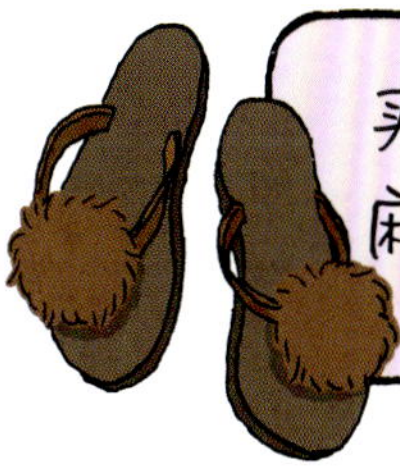

买手
麻子小姐（48岁）

从各个地方采购那家店可能会卖的东西。

喜欢时装，最初在服装店做售货员，后来改做可选择销售内容的工作。现在没有从属的公司，而是与几个公司签约合作。采购地不仅限于国内，有时也会去巴黎和纽约。当发现新的好品牌时，心里会兴奋不已。

作为公司职员长期工作后，变成与各种公司合作的自由签约职业者

烤年糕片公司职员
雅志先生（40岁）

负责商品策划、网页管理、制作食品标签等工作。

曾在摩托车零件制造公司工作，结婚后岳父邀请他到自己的公司工作，于是进了烤年糕片公司。
烤年糕片与摩托车是完全不同的行业，但是如何想办法使大家工作顺利是一样的。
无论任何工作，只要自己想方设法开动脑筋，能让对方开心，就是最开心的事。

以结婚为转折点，到了销售完全不同商品的公司

老师
阿蓝小姐（35岁）

在特殊教育学校（每个残疾儿童可以接受符合自己的教育的学校）里，担任学习指导与生活指导工作。

大学时曾参加过与残疾儿童相关的公益活动，从中学到了很多东西。想与他们一起生活、一起学习的愿望越来越强烈，于是通过考试，成为一名特殊教育学校的老师。

因为大学时期参加的公益活动，走上了做老师的道路

公司有成千上万家。
其中有的公司的确在做着我们无法想象的事业，
因为有了在那里工作的人们，我们的生活和社会才能运转。
今后工作的方法会日新月异，
各种各样的工作也会不断诞生。

采访合作的公司：

井村屋集团株式会社、空中客车株式会社、旭硝子株式会社、王子控股株式会社、可乐丽株式会社、蜻蜓铅笔株式会社、长堀株式会社、Viva Home 株式会社、明治株式会社、国誉株式会社、Summit 株式会社、阳光水族馆、柴田园艺刃物株式会社、Showa Note 株式会社、东京都葛西临海海洋馆、东武铁道株式会社、西松建设株式会社、日本制铁株式会社、Pizzo Rante Spacca Napoli（Act 集团株式会社）、北斗株式会社、Monex 证券株式会社、三菱铅笔株式会社。

另外，承蒙很多个人的关照。非常感谢。

关于本书的内容，神田秀树先生（日本学习院大学法科大学院）给了很多的建议。非常感谢。

野田映美

1982 年出生。插画家。多摩美术大学毕业。有合著作品《和猫阅读〈方丈记〉时学到的“认识人生的能力”》《好吃的住宅》。